Sudoku For Kids:

Keep Your Kids Occupied For Hours While Learning On The Go

By: Strictly Fun Zone & Tyson Laughlin

Thank You!

Congratulations and thank you for getting this book. In a world of social media, youtube and facebook, we must regain our sanity.

Everything is trying to get our attention all the time! Even though we're living in the most prosperous times since the evolution of humans, people we getting more and more depressed.

In **Strictly Fun Zone**... let's stay Strictly in the Fun Zone! ;)

Put away your cellphone, mute your notification and scribble away!

Regain your focus, sanity and HAPPINESS. This book is made "large-print". We don't want fun people like you to strain your eyes after a full day of looking at small electronics and small words in your office or school.

Let's enjoy and immerse inside Strictly Fun Zone!

Love, Tyson Laughlin

Puzzle #1

EASY

		5		7	1		3	
			3			6		
		6						2
	9			1	5	3		
5			9		4	1	8	
1				8		5	2	9
	5		1		9	8	4	3
8	1		5					
2	4	9		6	3	7		

Puzzle #2

EASY

7	3	1				6	8	2
6	5		2		8	1	7	
	9				6		3	5
			9					7
				1	7	8		6
8	7				4		9	1
				6				3
4	1	5	7					
	2	6	8				1	4

Puzzle #3

EASY

3	8	1	5			7		
	4				9	8		6
	2	6	8	7				4
1			7	9		2	6	
								7
		4	1	2		5		
6				1	7	4	8	3
		9	4	5		6		
4					2	9		

Puzzle #4

EASY

				4		6	9	7
		3		2			8	5
7	8		9	5				
4	1		8	9	3			
	9	2				8	7	1
6				1			3	4
					9	7		
		9	5				1	6
1	7			8			2	

Puzzle #5

EASY

	9	8		1	3		7	
		7	5				6	1
		5			7		4	
		4		5				2
			3		6	1	8	
2	6				8	5	9	7
	4				5	3		
	5	1	6		4			9
	8	2		3				6

Puzzle #6

EASY

	1	8	3					
4			1	8		3	7	2
	9	2		5	4		8	
9				4	7	2		
5	4		8		1	9		
8		1		9			4	
		3			6			
	7		4			5		1
2				1				

Puzzle #7

EASY

8	3	2				9	1	4
1	5		9		4			
4							7	
			7		5	4	6	
	8	5	4			1	2	3
				8	3	7		
9		8	3		1	2		7
						3		
	7		5		2	6		

Puzzle #8

EASY

6			2	1	8	7		
	1				5		8	
		9					5	4
5		2			9		3	1
1					2			9
7		3				4	2	8
9	2			6	4		1	7
		1				8		5
		6		7	1		4	2

Puzzle #9

EASY

							7	2
				1	6			
			7		3	8	1	
2	4			9				
		9		6	1	2	3	
3	5			2	7		9	
9	7		6	5		1	2	
6	2		1	3			4	
	3	4	9		2			6

Puzzle #10

EASY

7	2		6					
4		1		5				3
9	3	6		8		2		
				2	8	1		
		8		4		3	2	9
2	5	9		6				
		2	3	1			7	8
				7		6	4	2
	6	7			2			1

Puzzle #11

EASY

2		4			3		9	7
	3		9	1	8	4	5	
		9	2				6	
		3		4	5			
5					2	6		
4	2	8	6			3	7	
3	6		1			7	8	
8		2				9		1
			3					

Puzzle #12

EASY

7						1		
6	1	3		7	2	9		
			8			5	6	
			7				9	1
4		2			3			
	5	7		4	6		2	8
	7			5				6
	2		6	1				
	6	8		9	4	7		

Puzzle #13

EASY

	7		5				8	9
4	8	3		7				
	5	2	4	1		3	7	6
	4				5	2		7
	3		8	4			1	
	2					9		
3	9							2
		7		9		8		
	6					1		4

Puzzle #14

EASY

		2	6	5		1		
8				2		4	7	
	5				4	8		2
3	7		4	8		9		
					5		4	8
6	8	4						
	1			4			8	
					2	6	9	
9	2	6		7	3		1	

Puzzle #15

EASY

5			4	3			6	
		6	1		8		5	4
2					6	8		
	3		2			1	4	
						5		3
			7	4			8	9
		7	9					
9	5	8			4			
4		2		8	7	9	3	5

Puzzle #16

EASY

2	6			1				
8			7	6		9		1
	1			5		7	8	
1	7	3		4			5	
	2	4	1				6	7
				3				
		8	4	7	5			3
	4		6	9			7	
	5					6	9	4

Puzzle #17

EASY

			7			9		8
4					8	6		3
8			1	4	9	5	7	
1			4	6		2	5	9
		6			5	7	8	
	5	2	8	9		3		
	2			8				6
			5		3	8		7
		1					9	5

Puzzle #18

EASY

1			5	6				
		5		2				
	4	8				5		3
					2	6	5	9
5	1	3			6	7	8	
9		6		8			4	1
					7	8	1	6
6	8					2	7	
7	5	2		1			3	

Puzzle #19

EASY

2	1			9				4
6	7		8					3
	3		5	6	2		9	7
				7			4	
1			9			7	5	
7	6		4		8	9	3	
	8	6			5		7	9
4	9		6	2				5
					9			6

Puzzle #20

EASY

	3	9						
4	1	8	3					
5		6	4	8	7	3		
3	4			2			8	5
						4	7	
		5	6	4				
		7		6	3			8
2	8		9		4		6	
	9		5			1	3	2

Puzzle #21

EASY

		7		5		6	9	
			9		4			2
9	2					7	1	
8		3						
2		6		1			8	9
			2		9		3	
7				2	1	9		5
5		9	7		8		4	
4	6	2	5		3			1

Puzzle #22

EASY

	1					3		
		5	4	3			6	
				2	6		5	4
		9				6	2	5
5	8		7		4			
	6		2	5	9			7
4	3	6			1			8
9	7			4			3	1
		1	8	9		7		

Puzzle #23

EASY

	9	7	2					
			5	7	6		8	9
6	5	1		9				
	4	2	1	8				3
3	7			2	5			
	8	6		4		2		7
		3		5			6	
		5			3	4	2	8
9	1						7	5

Puzzle #24

EASY

1			8	2				4
	2	4				6		
					9		2	
9		2		8	1	4		7
	5		2				9	
8		7	6			2		3
3					8	7	1	2
	7		1	5		8		6
6		1	4	7			3	

Puzzle #25

EASY

		6	1				4	3
3	5		8			7	6	
9		1		3		8		5
			7				8	
	9	3		8	5			7
						4		
2		8			9	5		
			6		8			
6	1		5	7	4	2	3	8

Puzzle #26

EASY

	3				5	9		6
	5	1	9		6		3	2
		2				1	5	
7					2			
		9	4	6				5
5	4		3			2	1	
	9		7	5	3		2	8
6			2			3		
	7			1	8			4

Puzzle #27

EASY

	8	2		7		1		4
			4					8
1		6				5	9	
6	7			2	5			9
2			8				4	1
9	1							6
7		9		5			1	
		1	3	4			7	
		5	9		7	6	8	3

Puzzle #28

EASY

		4	6		9	3		
5		3	8	1		7		
	7		5	3				2
9			1			4	6	
4		8	7				3	1
1						8		9
	4		3	5	6			
8								3
3			9	8	1	6		4

Puzzle #29

EASY

7				3	4		5	
			8	2			3	4
1	4		6					9
8				7	6			5
2							8	3
3	6	5				9	1	
		8			9		7	1
9	5					4	6	2
	3					5		

Puzzle #30

EASY

3			6	5		2		
2		4		3		1		
					7	3		4
				7	2	8	3	
5		3		9		7	1	
8			5	1		9		6
			2			4	8	
6	1			4	9	5	2	
						6		1

Puzzle #31

EASY

	5	8		7		9		
9				4	8		7	
		6	1				2	
8			5		6			
5					4	6		
	6		8	3		2	5	9
6					3		4	2
	7	5	4			8		3
	4	1			9	7	6	

Puzzle #32

EASY

2		5		4	9		8	3
8					2	9	4	7
9		7			8	1	5	
	6				7		9	
7	9	2		6				
4							6	
	2			7				8
1		3	9		5		7	
5		4	1	8	6			

Puzzle #33

EASY

4	3		6			8		1
	5					3		6
8	7			9				
7			8		2	1	5	9
			1				6	
6	9			7				2
2		5	9	3	4			7
9			7	1	8	2		
		7					4	8

Puzzle #34

EASY

7			6			4		9
	3	9		1		7	5	
		8		9		2		
	2		9			5		
				6			3	4
3		6			1			8
5	4	3		2	6			
			3	5	8			
6		2		4				5

Puzzle #35

EASY

		4		3		5		
7						1		3
5			7	6			4	8
1			3	4		9	8	
4	8	9		5	2			6
3	7					4		
				8		3	1	
	5				4		9	7
		6	5	7			2	

Puzzle #36

EASY

1		7			3			
	8			2				5
			9	5	6	8		7
	7			3	9			1
			8	4	5			
9							4	
		1			2		6	4
4		5		1			2	9
	9		3	6		1	5	8

Puzzle #37

EASY

9	4			6		3		2
6			3	2				5
		5		9	4		1	
8			4			7	5	3
7	5	2						
		1	8					9
1	7	4			3	8		
2				4	9		3	
						4	2	

Puzzle #38

EASY

6			1		5		7	9
8	1					4	3	2
9	4		3					
3							1	
5		4			9			3
7			2				4	6
	6		7	3	2	1		8
2				6		3	9	
		3						7

Puzzle #39

EASY

6								7
4			9		3		5	2
	9			6	7		8	4
	3	2	5			7		1
	1			8			4	
7	5		6			9		8
5						4		
	4			7			3	
	6			5	8	2	1	

Puzzle #40

EASY

2		8			5		4	
	1			9	7			
	5			8		9		2
		2			8	7		6
			9	1	2	4		
1		4	7	6		2		
8	2	9					5	1
5	4		3	2			7	9
				5	9			

Puzzle # 1

9	2	5	6	7	1	4	3	8
4	8	1	3	9	2	6	7	5
3	7	6	4	5	8	9	1	2
7	9	8	2	1	5	3	6	4
5	6	2	9	3	4	1	8	7
1	3	4	7	8	6	5	2	9
6	5	7	1	2	9	8	4	3
8	1	3	5	4	7	2	9	6
2	4	9	8	6	3	7	5	1

Puzzle # 2

7	3	1	5	4	9	6	8	2
6	5	4	2	3	8	1	7	9
2	9	8	1	7	6	4	3	5
1	6	3	9	8	2	5	4	7
5	4	9	3	1	7	8	2	6
8	7	2	6	5	4	3	9	1
9	8	7	4	6	1	2	5	3
4	1	5	7	2	3	9	6	8
3	2	6	8	9	5	7	1	4

Puzzle # 3

3	8	1	5	4	6	7	9	2
5	4	7	2	3	9	8	1	6
9	2	6	8	7	1	3	5	4
1	3	5	7	9	4	2	6	8
2	9	8	3	6	5	1	4	7
7	6	4	1	2	8	5	3	9
6	5	2	9	1	7	4	8	3
8	7	9	4	5	3	6	2	1
4	1	3	6	8	2	9	7	5

Puzzle # 4

5	2	1	3	4	8	6	9	7
9	4	3	7	2	6	1	8	5
7	8	6	9	5	1	2	4	3
4	1	7	8	9	3	5	6	2
3	9	2	4	6	5	8	7	1
6	5	8	2	1	7	9	3	4
2	6	4	1	3	9	7	5	8
8	3	9	5	7	2	4	1	6
1	7	5	6	8	4	3	2	9

Puzzle # 5

6	9	8	4	1	3	2	7	5
4	3	7	5	9	2	8	6	1
1	2	5	8	6	7	9	4	3
8	1	4	7	5	9	6	3	2
5	7	9	3	2	6	1	8	4
2	6	3	1	4	8	5	9	7
9	4	6	2	7	5	3	1	8
3	5	1	6	8	4	7	2	9
7	8	2	9	3	1	4	5	6

Puzzle # 6

7	1	8	3	6	2	4	5	9
4	6	5	1	8	9	3	7	2
3	9	2	7	5	4	1	8	6
9	3	6	5	4	7	2	1	8
5	4	7	8	2	1	9	6	3
8	2	1	6	9	3	7	4	5
1	5	3	2	7	6	8	9	4
6	7	9	4	3	8	5	2	1
2	8	4	9	1	5	6	3	7

Puzzle # 7

8	3	2	6	5	7	9	1	4
1	5	7	9	2	4	8	3	6
4	6	9	1	3	8	5	7	2
2	9	3	7	1	5	4	6	8
7	8	5	4	9	6	1	2	3
6	1	4	2	8	3	7	9	5
9	4	8	3	6	1	2	5	7
5	2	6	8	7	9	3	4	1
3	7	1	5	4	2	6	8	9

Puzzle # 8

6	5	4	2	1	8	7	9	3
3	1	7	4	9	5	2	8	6
2	8	9	6	3	7	1	5	4
5	4	2	7	8	9	6	3	1
1	6	8	3	4	2	5	7	9
7	9	3	1	5	6	4	2	8
9	2	5	8	6	4	3	1	7
4	7	1	9	2	3	8	6	5
8	3	6	5	7	1	9	4	2

Puzzle # 9

4	1	3	5	8	9	6	7	2
8	9	7	2	1	6	3	5	4
5	6	2	7	4	3	8	1	9
2	4	1	3	9	5	7	6	8
7	8	9	4	6	1	2	3	5
3	5	6	8	2	7	4	9	1
9	7	8	6	5	4	1	2	3
6	2	5	1	3	8	9	4	7
1	3	4	9	7	2	5	8	6

Puzzle # 10

7	2	5	6	3	1	8	9	4
4	8	1	2	5	9	7	6	3
9	3	6	7	8	4	2	1	5
3	7	4	9	2	8	1	5	6
6	1	8	5	4	7	3	2	9
2	5	9	1	6	3	4	8	7
5	4	2	3	1	6	9	7	8
1	9	3	8	7	5	6	4	2
8	6	7	4	9	2	5	3	1

Puzzle # 11

2	8	4	5	6	3	1	9	7
7	3	6	9	1	8	4	5	2
1	5	9	2	7	4	8	6	3
6	9	3	7	4	5	2	1	8
5	1	7	8	3	2	6	4	9
4	2	8	6	9	1	3	7	5
3	6	5	1	2	9	7	8	4
8	7	2	4	5	6	9	3	1
9	4	1	3	8	7	5	2	6

Puzzle # 12

7	8	5	4	6	9	1	3	2
6	1	3	5	7	2	9	8	4
2	4	9	8	3	1	5	6	7
8	3	6	7	2	5	4	9	1
4	9	2	1	8	3	6	7	5
1	5	7	9	4	6	3	2	8
9	7	1	3	5	8	2	4	6
3	2	4	6	1	7	8	5	9
5	6	8	2	9	4	7	1	3

Puzzle # 13

1	7	6	5	2	3	4	8	9
4	8	3	6	7	9	5	2	1
9	5	2	4	1	8	3	7	6
8	4	1	9	6	5	2	3	7
7	3	9	8	4	2	6	1	5
6	2	5	7	3	1	9	4	8
3	9	4	1	8	6	7	5	2
5	1	7	2	9	4	8	6	3
2	6	8	3	5	7	1	9	4

Puzzle # 14

7	4	2	6	5	8	1	3	9
8	6	3	1	2	9	4	7	5
1	5	9	7	3	4	8	6	2
3	7	5	4	8	1	9	2	6
2	9	1	3	6	5	7	4	8
6	8	4	2	9	7	3	5	1
5	1	7	9	4	6	2	8	3
4	3	8	5	1	2	6	9	7
9	2	6	8	7	3	5	1	4

Puzzle # 15

5	8	1	4	3	9	7	6	2
7	9	6	1	2	8	3	5	4
2	4	3	5	7	6	8	9	1
8	3	9	2	6	5	1	4	7
6	7	4	8	9	1	5	2	3
1	2	5	7	4	3	6	8	9
3	6	7	9	5	2	4	1	8
9	5	8	3	1	4	2	7	6
4	1	2	6	8	7	9	3	5

Puzzle # 16

2	6	7	9	1	8	4	3	5
8	3	5	7	6	4	9	2	1
4	1	9	3	5	2	7	8	6
1	7	3	2	4	6	8	5	9
5	2	4	1	8	9	3	6	7
9	8	6	5	3	7	1	4	2
6	9	8	4	7	5	2	1	3
3	4	2	6	9	1	5	7	8
7	5	1	8	2	3	6	9	4

Puzzle # 17

2	1	5	7	3	6	9	4	8
4	7	9	2	5	8	6	1	3
8	6	3	1	4	9	5	7	2
1	3	8	4	6	7	2	5	9
9	4	6	3	2	5	7	8	1
7	5	2	8	9	1	3	6	4
5	2	7	9	8	4	1	3	6
6	9	4	5	1	3	8	2	7
3	8	1	6	7	2	4	9	5

Puzzle # 18

1	9	7	5	6	3	4	2	8
3	6	5	8	2	4	1	9	7
2	4	8	9	7	1	5	6	3
8	7	4	1	3	2	6	5	9
5	1	3	4	9	6	7	8	2
9	2	6	7	8	5	3	4	1
4	3	9	2	5	7	8	1	6
6	8	1	3	4	9	2	7	5
7	5	2	6	1	8	9	3	4

Puzzle # 19

2	1	5	7	9	3	8	6	4
6	7	9	8	1	4	5	2	3
8	3	4	5	6	2	1	9	7
9	5	3	2	7	1	6	4	8
1	4	8	9	3	6	7	5	2
7	6	2	4	5	8	9	3	1
3	8	6	1	4	5	2	7	9
4	9	1	6	2	7	3	8	5
5	2	7	3	8	9	4	1	6

Puzzle # 20

7	3	9	1	5	6	8	2	4
4	1	8	3	9	2	7	5	6
5	2	6	4	8	7	3	1	9
3	4	1	7	2	9	6	8	5
9	6	2	8	3	5	4	7	1
8	7	5	6	4	1	2	9	3
1	5	7	2	6	3	9	4	8
2	8	3	9	1	4	5	6	7
6	9	4	5	7	8	1	3	2

Puzzle # 21

3	4	7	1	5	2	6	9	8
6	8	1	9	7	4	3	5	2
9	2	5	8	3	6	7	1	4
8	9	3	6	4	5	1	2	7
2	5	6	3	1	7	4	8	9
1	7	4	2	8	9	5	3	6
7	3	8	4	2	1	9	6	5
5	1	9	7	6	8	2	4	3
4	6	2	5	9	3	8	7	1

Puzzle # 22

6	1	4	9	8	5	3	7	2
8	2	5	4	3	7	1	6	9
3	9	7	1	2	6	8	5	4
7	4	9	3	1	8	6	2	5
5	8	2	7	6	4	9	1	3
1	6	3	2	5	9	4	8	7
4	3	6	5	7	1	2	9	8
9	7	8	6	4	2	5	3	1
2	5	1	8	9	3	7	4	6

Puzzle # 23

8	9	7	2	3	1	5	4	6
2	3	4	5	7	6	1	8	9
6	5	1	8	9	4	7	3	2
5	4	2	1	8	7	6	9	3
3	7	9	6	2	5	8	1	4
1	8	6	3	4	9	2	5	7
4	2	3	7	5	8	9	6	1
7	6	5	9	1	3	4	2	8
9	1	8	4	6	2	3	7	5

Puzzle # 24

1	9	3	8	2	6	5	7	4
7	2	4	3	1	5	6	8	9
5	6	8	7	4	9	3	2	1
9	3	2	5	8	1	4	6	7
4	5	6	2	3	7	1	9	8
8	1	7	6	9	4	2	5	3
3	4	5	9	6	8	7	1	2
2	7	9	1	5	3	8	4	6
6	8	1	4	7	2	9	3	5

Puzzle # 25

8	2	6	1	5	7	9	4	3
3	5	4	8	9	2	7	6	1
9	7	1	4	3	6	8	2	5
5	6	2	7	4	1	3	8	9
4	9	3	2	8	5	6	1	7
1	8	7	9	6	3	4	5	2
2	4	8	3	1	9	5	7	6
7	3	5	6	2	8	1	9	4
6	1	9	5	7	4	2	3	8

Puzzle # 26

8	3	7	1	2	5	9	4	6
4	5	1	9	7	6	8	3	2
9	6	2	8	3	4	1	5	7
7	1	8	5	9	2	4	6	3
3	2	9	4	6	1	7	8	5
5	4	6	3	8	7	2	1	9
1	9	4	7	5	3	6	2	8
6	8	5	2	4	9	3	7	1
2	7	3	6	1	8	5	9	4

Puzzle # 27

3	8	2	5	7	9	1	6	4
5	9	7	4	6	1	3	2	8
1	4	6	2	8	3	5	9	7
6	7	4	1	2	5	8	3	9
2	5	3	8	9	6	7	4	1
9	1	8	7	3	4	2	5	6
7	3	9	6	5	8	4	1	2
8	6	1	3	4	2	9	7	5
4	2	5	9	1	7	6	8	3

Puzzle # 28

2	8	4	6	7	9	3	1	5
5	9	3	8	1	2	7	4	6
6	7	1	5	3	4	9	8	2
9	3	5	1	2	8	4	6	7
4	6	8	7	9	5	2	3	1
1	2	7	4	6	3	8	5	9
7	4	9	3	5	6	1	2	8
8	1	6	2	4	7	5	9	3
3	5	2	9	8	1	6	7	4

Puzzle # 29

7	8	2	9	3	4	1	5	6
5	9	6	8	2	1	7	3	4
1	4	3	6	5	7	8	2	9
8	1	9	3	7	6	2	4	5
2	7	4	1	9	5	6	8	3
3	6	5	2	4	8	9	1	7
4	2	8	5	6	9	3	7	1
9	5	1	7	8	3	4	6	2
6	3	7	4	1	2	5	9	8

Puzzle # 30

3	7	1	6	5	4	2	9	8
2	5	4	9	3	8	1	6	7
9	8	6	1	2	7	3	5	4
1	6	9	4	7	2	8	3	5
5	4	3	8	9	6	7	1	2
8	2	7	5	1	3	9	4	6
7	3	5	2	6	1	4	8	9
6	1	8	7	4	9	5	2	3
4	9	2	3	8	5	6	7	1

Puzzle # 31

4	5	8	6	7	2	9	3	1
9	1	2	3	4	8	5	7	6
7	3	6	1	9	5	4	2	8
8	9	7	5	2	6	3	1	4
5	2	3	9	1	4	6	8	7
1	6	4	8	3	7	2	5	9
6	8	9	7	5	3	1	4	2
2	7	5	4	6	1	8	9	3
3	4	1	2	8	9	7	6	5

Puzzle # 32

2	1	5	7	4	9	6	8	3
8	3	6	5	1	2	9	4	7
9	4	7	6	3	8	1	5	2
3	6	1	8	5	7	2	9	4
7	9	2	4	6	1	8	3	5
4	5	8	2	9	3	7	6	1
6	2	9	3	7	4	5	1	8
1	8	3	9	2	5	4	7	6
5	7	4	1	8	6	3	2	9

Puzzle # 33

4	3	9	6	2	5	8	7	1
1	5	2	4	8	7	3	9	6
8	7	6	3	9	1	5	2	4
7	4	3	8	6	2	1	5	9
5	2	8	1	4	9	7	6	3
6	9	1	5	7	3	4	8	2
2	8	5	9	3	4	6	1	7
9	6	4	7	1	8	2	3	5
3	1	7	2	5	6	9	4	8

Puzzle # 34

7	1	5	6	3	2	4	8	9
2	3	9	8	1	4	7	5	6
4	6	8	5	9	7	2	1	3
1	2	4	9	8	3	5	6	7
8	9	7	2	6	5	1	3	4
3	5	6	4	7	1	9	2	8
5	4	3	7	2	6	8	9	1
9	7	1	3	5	8	6	4	2
6	8	2	1	4	9	3	7	5

Puzzle # 35

6	2	4	8	3	1	5	7	9
7	9	8	4	2	5	1	6	3
5	3	1	7	6	9	2	4	8
1	6	5	3	4	7	9	8	2
4	8	9	1	5	2	7	3	6
3	7	2	6	9	8	4	5	1
2	4	7	9	8	6	3	1	5
8	5	3	2	1	4	6	9	7
9	1	6	5	7	3	8	2	4

Puzzle # 36

1	5	7	4	8	3	2	9	6
6	8	9	1	2	7	4	3	5
2	4	3	9	5	6	8	1	7
5	7	4	2	3	9	6	8	1
3	1	6	8	4	5	9	7	2
9	2	8	6	7	1	5	4	3
8	3	1	5	9	2	7	6	4
4	6	5	7	1	8	3	2	9
7	9	2	3	6	4	1	5	8

Puzzle # 37

9	4	8	5	6	1	3	7	2
6	1	7	3	2	8	9	4	5
3	2	5	7	9	4	6	1	8
8	6	9	4	1	2	7	5	3
7	5	2	9	3	6	1	8	4
4	3	1	8	7	5	2	6	9
1	7	4	2	5	3	8	9	6
2	8	6	1	4	9	5	3	7
5	9	3	6	8	7	4	2	1

Puzzle # 38

6	3	2	1	4	5	8	7	9
8	1	5	9	7	6	4	3	2
9	4	7	3	2	8	5	6	1
3	9	6	4	8	7	2	1	5
5	2	4	6	1	9	7	8	3
7	8	1	2	5	3	9	4	6
4	6	9	7	3	2	1	5	8
2	7	8	5	6	1	3	9	4
1	5	3	8	9	4	6	2	7

Puzzle # 39

6	2	3	8	4	5	1	9	7
4	7	8	9	1	3	6	5	2
1	9	5	2	6	7	3	8	4
8	3	2	5	9	4	7	6	1
9	1	6	7	8	2	5	4	3
7	5	4	6	3	1	9	2	8
5	8	1	3	2	9	4	7	6
2	4	9	1	7	6	8	3	5
3	6	7	4	5	8	2	1	9

Puzzle # 40

2	9	8	6	3	5	1	4	7
4	1	3	2	9	7	5	6	8
6	5	7	1	8	4	9	3	2
9	3	2	5	4	8	7	1	6
7	6	5	9	1	2	4	8	3
1	8	4	7	6	3	2	9	5
8	2	9	4	7	6	3	5	1
5	4	6	3	2	1	8	7	9
3	7	1	8	5	9	6	2	4

Puzzle #1

MEDIUM

3	9			2				
	4		5	8		2		7
7	8			6			9	
1	5		4		3		7	
	3					5	6	
				7		4		
		4		3	1			6
		9			6			4
	6				2		8	

Puzzle #2

MEDIUM

	2		3				6	
3				1	5	2	4	
	8		6				5	
7	1	8						6
	5	4		6		7	1	
			4		1			5
	9		5	4				
5		2						9
	6		1			5	7	

Puzzle #3

MEDIUM

		4		2	9			
6	7			8	5	9		
9	3	5			4			
			2	3		1	5	
8	2	7					3	
		1	6			7		4
	4				2			1
		8			3			7
		3	4		6		8	

Puzzle #4

MEDIUM

	8	1		3		7		4
3		5	2					
		4					1	
			8			9		5
7					5	2	4	
5	3	2	4			8	6	
					9	1		3
			1				7	8
	2				7	4		

Puzzle #5

MEDIUM

					7		6	4
				9	8			
	5	9						7
9	2			3		7	4	6
6				4	2		8	9
		7						1
	8	3			4			
	7		5		1			
1		5		6		4		

Puzzle #6

MEDIUM

	3			7	2		8	
	7		9	5	8	1		
	2				6			
				2		3		5
		7	5				9	8
5	1	2			3	4		
		4	2				7	
	8		7	6	5			
				3			2	

Puzzle #7

MEDIUM

	8	7	2			9	1	
		4	9	5	8			3
					1			
		1						6
6			3	7	5		8	
	5	3	1	8	6	2		
3	2					8	7	1
	9							5
			8					

Puzzle #8

MEDIUM

5	4							1
	2		4		1		7	
		1	8	7			2	
					7		1	3
				1	3		6	2
1			2	5				
	7	3			8	1		
	1	8						9
		5	1			8		

Puzzle #9

MEDIUM

1		2	4		6		9	
	6							7
3				7		6	8	1
					5	3	4	2
		4				7		5
		7		4	1	8		
	8	5			9			4
4			8	3				
			2					

Puzzle #10

MEDIUM

						3	1	
8				1	7	9		
		1			9	7	8	6
	3		5			4	6	1
7			4		6			8
	4			2			7	
1		6				8	9	5
			7		1			
3			9				2	

Puzzle #11

MEDIUM

	1	2		3	8		6	4
					7	9		3
7		3					1	
	8	1	7				3	9
		6		8				
		7	6					
2								
1		4		6		5		
6	5	8	2	4	9			

Puzzle #12

MEDIUM

		4					7	
	1	3				8		
	8		3		1	6		2
			4		7			
			5	6			1	
8	6	5	9		2			
	4	6				7		3
1			7		8			5
9		8	6			1		

Puzzle #13

MEDIUM

			8		2			1
9	7			6		3	2	5
6				2		9	5	
7	9	2	5			8	6	4
			6				1	
					7			8
	4	7		8				9
	3		1	9		2	7	

Puzzle #14

MEDIUM

	2		6	9	4			
			8					5
		8	2		3			4
6			9				1	
				2		5		
8				1	7			9
5	3					1	9	
2	7		1	3				6
1						4		7

Puzzle #15

MEDIUM

		7	9		1		8	
5		4	3		8			
					5	4	3	
					9		5	6
	5					7		4
1			4		6	2		
3	1			8		9		7
8	4			1		5	6	3
7					3			1

Puzzle #16

MEDIUM

1							2	
	8		4	7				
		2	9			4		8
2	5		3	6				
		7		2	4		3	
		8	5		9	6	7	
9	7							
5	4	1	2		3			9
8						5		4

Puzzle #17

MEDIUM

				7				1
6			3		9	7		5
7			2		8			
3			8			1	7	
	8		6		1			
				5		4		
				4	7	6	2	9
9	4	6		2	3			7
						5		

Puzzle #18

MEDIUM

8							5	
	4				2		8	
		7	3	6	8	4	9	
	8		5	3			1	9
					6			4
	5		2		1			
			1	8	3			6
	3							5
6	9	2	7	4				

Puzzle #19

MEDIUM

	6		9	1		2		4
4					6			8
			4	7		3		
7				9			4	
	4		7		5		1	2
	9	5				8	3	
		2		4	7	6	8	9
9		8	6				5	
	3							

Puzzle #20

MEDIUM

	6		1				7	
7	5	2		3	8		6	1
			7			3	2	
5	8				1	6	4	
			4			5		
	2			8	9		3	
4					5		8	6
			6				1	
		6			3	7		

Puzzle #21

MEDIUM

			9					
4		6	7		8	1		
7	3	5				9	8	6
5				7	9			8
		4	2	1		6		
		9		8	3	7		
				6		8		1
2								5
			5		1		9	

Puzzle #22

MEDIUM

	7	2						1
			5				3	2
		4		9		6		
	2		7		1			
			3					5
9		8		2			1	7
7	4					9		6
	5	6	9					
2				1	8	7		4

Puzzle #23

MEDIUM

		4		3		5		
6		7	8					1
			7		5		4	2
			1	5		6		
			3			7		
7			2		6		8	
3	4				8		7	
9	7		5			4		
5		6		7			3	8

Puzzle #24

MEDIUM

	9			1				4
		4	2	5				
			6		7	9		
5				3		8	7	6
8	6							1
	4	7			6		9	
9			8	7			5	3
	5	1	9					
	3				4	6		

Puzzle #25

MEDIUM

	5			6	2	1		
		2	8	9			6	
		9						2
			2	7	3		8	
2		4					9	3
		1						5
7	4		6	2				
	1		7		4	5		
			3					7

Puzzle #26

MEDIUM

			8	9		2		1
3					2	6		
			3		4			5
6	9	4	2	3	7			
	5						2	
		8	6		5			9
2	4		1		3		6	
	3			6		5		
			7					

Puzzle #27

MEDIUM

	5		4			8		
			2	3		4		5
8	9							
7	4	8		1				
	1							
6	2		7	8	3			
					2	1	5	
	7	5		6		9	4	
	3	1	8			2	7	6

Puzzle #28

MEDIUM

		9					3	1
			9		1			7
		4	5	3	7		2	
	4	7	8					9
3			7	9			8	4
	9			5	3	2		6
		2				8	6	
1			6			4		2
4	6	8						

Puzzle #29

MEDIUM

		9		7		6		
		7	1	8		4	9	5
					9		2	
3		2		6	4			9
		8						
1		6				5	8	
5			4				3	6
6				9	8			1
				1			4	7

Puzzle #30

MEDIUM

3				1		7	5	
		5	2			6		8
	9			7				4
		8	7					5
6	3			8	5	2		
		1		3				6
4		3	1				2	9
								3
1				2	8		6	

Puzzle #31

MEDIUM

		7		8	5		9	6
5	2					1	4	3
	4	6	2			5		8
	3							1
				9	8	7		2
			7					4
	7		6					5
					3	8		
	9	2						7

Puzzle #32

MEDIUM

	1	7	8	9	2		4	
	4		6	1				8
		5						
1								6
		4				8	3	5
	3		2					
4		1	5				7	2
				3	1	6	5	
3		9					8	

Puzzle #33

MEDIUM

1						9	5	
	6		9		5		2	
2	9			8				7
7			4			1		5
	5						9	
	3		7	5	6	2		
8	4				2		1	
	7	9	8					
3		2				4		

Puzzle #34

MEDIUM

6		5		4	8		3	
			5				4	
	7	4	3				8	
3		6			2			
4		7		8				
	8		7			2		
2	1	3		9	7			
			1				9	3
	6					4	2	

Puzzle #35

MEDIUM

3	6		2	4	8		9	
5	1			9				2
		8			3			
			3					5
2					5			
7	3				9	1		6
8			7	5			1	9
1					4			
6						7	2	

Puzzle #36

MEDIUM

	1				9		4	
					8	3		
5	9	7				2		
	5		4		1			
		1			5		9	2
4	7			9			3	5
6				8		7	5	
				1	3	8	6	
	4		5					

Puzzle #37

MEDIUM

				3			1	
7			8					2
1				7	9	8	4	
	7				5	6	9	
		8	9	4			7	1
	6	1	3				8	5
	2	3		9				
		6			4		5	7
							2	

Puzzle #38

MEDIUM

	2		4					6
3	7					8	5	4
	4	1	6				3	2
4	3		2	7		6	8	
8					4	7		
6					1		2	
1						3		8
							4	
2			9		8	5		

Puzzle #39

MEDIUM

2		4		8		5	3	
			5		4	1		
5	9	1	2					
		9	6	1				4
7		6				9		
4	5						7	
6	3					7		
	7				1			
		5	7				8	3

Puzzle #40

MEDIUM

				5				7
		9	1				4	
1	3	6		7		2		9
						4		
	4		6	2		5		
	9		5		3		6	
	8			6		3	1	5
6				8				4
3	5		2		9	6		

Puzzle # 1

3	9	5	1	2	7	6	4	8
6	4	1	5	8	9	2	3	7
7	8	2	3	6	4	1	9	5
1	5	6	4	9	3	8	7	2
4	3	7	2	1	8	5	6	9
9	2	8	6	7	5	4	1	3
2	7	4	8	3	1	9	5	6
8	1	9	7	5	6	3	2	4
5	6	3	9	4	2	7	8	1

Puzzle # 2

4	2	5	3	8	7	9	6	1
3	7	6	9	1	5	2	4	8
9	8	1	6	2	4	3	5	7
7	1	8	2	5	3	4	9	6
2	5	4	8	6	9	7	1	3
6	3	9	4	7	1	8	2	5
1	9	7	5	4	8	6	3	2
5	4	2	7	3	6	1	8	9
8	6	3	1	9	2	5	7	4

Puzzle # 3

1	8	4	3	2	9	5	7	6
6	7	2	1	8	5	9	4	3
9	3	5	7	6	4	8	1	2
4	6	9	2	3	7	1	5	8
8	2	7	5	4	1	6	3	9
3	5	1	6	9	8	7	2	4
5	4	6	8	7	2	3	9	1
2	1	8	9	5	3	4	6	7
7	9	3	4	1	6	2	8	5

Puzzle # 4

2	8	1	9	3	6	7	5	4
3	7	5	2	1	4	6	8	9
9	6	4	7	5	8	3	1	2
4	1	6	8	7	2	9	3	5
7	9	8	3	6	5	2	4	1
5	3	2	4	9	1	8	6	7
8	5	7	6	4	9	1	2	3
6	4	9	1	2	3	5	7	8
1	2	3	5	8	7	4	9	6

Puzzle # 5

8	1	2	3	5	7	9	6	4
7	6	4	2	9	8	1	5	3
3	5	9	4	1	6	8	2	7
9	2	8	1	3	5	7	4	6
6	3	1	7	4	2	5	8	9
5	4	7	6	8	9	2	3	1
2	8	3	9	7	4	6	1	5
4	7	6	5	2	1	3	9	8
1	9	5	8	6	3	4	7	2

Puzzle # 6

9	3	5	1	7	2	6	8	4
4	7	6	9	5	8	1	3	2
1	2	8	3	4	6	7	5	9
8	4	9	6	2	7	3	1	5
3	6	7	5	1	4	2	9	8
5	1	2	8	9	3	4	6	7
6	9	4	2	8	1	5	7	3
2	8	3	7	6	5	9	4	1
7	5	1	4	3	9	8	2	6

Puzzle # 7

5	8	7	2	6	3	9	1	4
1	6	4	9	5	8	7	2	3
2	3	9	7	4	1	5	6	8
8	7	1	4	2	9	3	5	6
6	4	2	3	7	5	1	8	9
9	5	3	1	8	6	2	4	7
3	2	6	5	9	4	8	7	1
7	9	8	6	1	2	4	3	5
4	1	5	8	3	7	6	9	2

Puzzle # 8

5	4	7	3	2	9	6	8	1
8	2	9	4	6	1	3	7	5
3	6	1	8	7	5	9	2	4
9	5	2	6	8	7	4	1	3
7	8	4	9	1	3	5	6	2
1	3	6	2	5	4	7	9	8
2	7	3	5	9	8	1	4	6
4	1	8	7	3	6	2	5	9
6	9	5	1	4	2	8	3	7

Puzzle # 9

1	7	2	4	8	6	5	9	3
5	6	8	9	1	3	4	2	7
3	4	9	5	7	2	6	8	1
8	1	6	7	9	5	3	4	2
9	3	4	6	2	8	7	1	5
2	5	7	3	4	1	8	6	9
7	8	5	1	6	9	2	3	4
4	2	1	8	3	7	9	5	6
6	9	3	2	5	4	1	7	8

Puzzle # 10

9	6	7	8	5	4	3	1	2
8	2	3	6	1	7	9	5	4
4	5	1	2	3	9	7	8	6
2	3	9	5	7	8	4	6	1
7	1	5	4	9	6	2	3	8
6	4	8	1	2	3	5	7	9
1	7	6	3	4	2	8	9	5
5	9	2	7	8	1	6	4	3
3	8	4	9	6	5	1	2	7

Puzzle # 11

9	1	2	5	3	8	7	6	4
8	6	5	4	1	7	9	2	3
7	4	3	9	2	6	8	1	5
4	8	1	7	5	2	6	3	9
5	9	6	3	8	1	2	4	7
3	2	7	6	9	4	1	5	8
2	3	9	1	7	5	4	8	6
1	7	4	8	6	3	5	9	2
6	5	8	2	4	9	3	7	1

Puzzle # 12

2	5	4	8	9	6	3	7	1
6	1	3	2	7	4	8	5	9
7	8	9	3	5	1	6	4	2
3	2	1	4	8	7	5	9	6
4	9	7	5	6	3	2	1	8
8	6	5	9	1	2	4	3	7
5	4	6	1	2	9	7	8	3
1	3	2	7	4	8	9	6	5
9	7	8	6	3	5	1	2	4

Puzzle # 13

4	2	1	9	3	5	6	8	7
3	5	6	8	7	2	4	9	1
9	7	8	4	6	1	3	2	5
6	1	4	7	2	8	9	5	3
7	9	2	5	1	3	8	6	4
5	8	3	6	4	9	7	1	2
2	6	9	3	5	7	1	4	8
1	4	7	2	8	6	5	3	9
8	3	5	1	9	4	2	7	6

Puzzle # 14

7	2	5	6	9	4	3	8	1
4	6	3	8	7	1	9	2	5
9	1	8	2	5	3	7	6	4
6	4	7	9	8	5	2	1	3
3	9	1	4	2	6	5	7	8
8	5	2	3	1	7	6	4	9
5	3	6	7	4	8	1	9	2
2	7	4	1	3	9	8	5	6
1	8	9	5	6	2	4	3	7

Puzzle # 15

2	3	7	9	4	1	6	8	5
5	9	4	3	6	8	1	7	2
6	8	1	7	2	5	4	3	9
4	2	8	1	7	9	3	5	6
9	5	6	8	3	2	7	1	4
1	7	3	4	5	6	2	9	8
3	1	5	6	8	4	9	2	7
8	4	9	2	1	7	5	6	3
7	6	2	5	9	3	8	4	1

Puzzle # 16

1	9	4	6	5	8	3	2	7
3	8	5	4	7	2	1	9	6
7	6	2	9	3	1	4	5	8
2	5	9	3	6	7	8	4	1
6	1	7	8	2	4	9	3	5
4	3	8	5	1	9	6	7	2
9	7	6	1	4	5	2	8	3
5	4	1	2	8	3	7	6	9
8	2	3	7	9	6	5	1	4

Puzzle # 17

8	9	3	4	7	5	2	6	1
6	2	4	3	1	9	7	8	5
7	1	5	2	6	8	3	9	4
3	5	2	8	9	4	1	7	6
4	8	7	6	3	1	9	5	2
1	6	9	7	5	2	4	3	8
5	3	8	1	4	7	6	2	9
9	4	6	5	2	3	8	1	7
2	7	1	9	8	6	5	4	3

Puzzle # 18

8	6	9	4	1	7	3	5	2
3	4	1	9	5	2	6	8	7
5	2	7	3	6	8	4	9	1
7	8	6	5	3	4	2	1	9
2	1	3	8	9	6	5	7	4
9	5	4	2	7	1	8	6	3
4	7	5	1	8	3	9	2	6
1	3	8	6	2	9	7	4	5
6	9	2	7	4	5	1	3	8

Puzzle # 19

5	6	3	9	1	8	2	7	4
4	2	7	5	3	6	1	9	8
8	1	9	4	7	2	3	6	5
7	8	1	2	9	3	5	4	6
3	4	6	7	8	5	9	1	2
2	9	5	1	6	4	8	3	7
1	5	2	3	4	7	6	8	9
9	7	8	6	2	1	4	5	3
6	3	4	8	5	9	7	2	1

Puzzle # 20

9	6	3	1	2	4	8	7	5
7	5	2	9	3	8	4	6	1
1	4	8	7	5	6	3	2	9
5	8	9	3	7	1	6	4	2
3	7	1	4	6	2	5	9	8
6	2	4	5	8	9	1	3	7
4	3	7	2	1	5	9	8	6
8	9	5	6	4	7	2	1	3
2	1	6	8	9	3	7	5	4

Puzzle # 21

1	8	2	9	3	6	5	7	4
4	9	6	7	5	8	1	2	3
7	3	5	1	2	4	9	8	6
5	2	3	6	7	9	4	1	8
8	7	4	2	1	5	6	3	9
6	1	9	4	8	3	7	5	2
9	5	7	3	6	2	8	4	1
2	4	1	8	9	7	3	6	5
3	6	8	5	4	1	2	9	7

Puzzle # 22

6	7	2	8	3	4	5	9	1
1	8	9	5	7	6	4	3	2
5	3	4	1	9	2	6	7	8
3	2	5	7	6	1	8	4	9
4	1	7	3	8	9	2	6	5
9	6	8	4	2	5	3	1	7
7	4	1	2	5	3	9	8	6
8	5	6	9	4	7	1	2	3
2	9	3	6	1	8	7	5	4

Puzzle # 23

8	2	4	9	3	1	5	6	7
6	5	7	8	4	2	3	9	1
1	9	3	7	6	5	8	4	2
4	8	9	1	5	7	6	2	3
2	6	1	3	8	4	7	5	9
7	3	5	2	9	6	1	8	4
3	4	2	6	1	8	9	7	5
9	7	8	5	2	3	4	1	6
5	1	6	4	7	9	2	3	8

Puzzle # 24

2	9	5	3	1	8	7	6	4
6	7	4	2	5	9	1	3	8
1	8	3	6	4	7	9	2	5
5	1	9	4	3	2	8	7	6
8	6	2	7	9	5	3	4	1
3	4	7	1	8	6	5	9	2
9	2	6	8	7	1	4	5	3
4	5	1	9	6	3	2	8	7
7	3	8	5	2	4	6	1	9

Puzzle # 25

8	5	7	4	6	2	1	3	9
1	3	2	8	9	5	7	6	4
4	6	9	1	3	7	8	5	2
5	9	6	2	7	3	4	8	1
2	7	4	5	1	8	6	9	3
3	8	1	9	4	6	2	7	5
7	4	5	6	2	9	3	1	8
9	1	3	7	8	4	5	2	6
6	2	8	3	5	1	9	4	7

Puzzle # 26

4	7	5	8	9	6	2	3	1
3	8	1	5	7	2	6	9	4
9	6	2	3	1	4	7	8	5
6	9	4	2	3	7	1	5	8
7	5	3	9	8	1	4	2	6
1	2	8	6	4	5	3	7	9
2	4	9	1	5	3	8	6	7
8	3	7	4	6	9	5	1	2
5	1	6	7	2	8	9	4	3

Puzzle # 27

3	5	2	4	9	7	8	6	1
1	6	7	2	3	8	4	9	5
8	9	4	1	5	6	3	2	7
7	4	8	5	1	9	6	3	2
5	1	3	6	2	4	7	8	9
6	2	9	7	8	3	5	1	4
4	8	6	9	7	2	1	5	3
2	7	5	3	6	1	9	4	8
9	3	1	8	4	5	2	7	6

Puzzle # 28

7	8	9	2	6	4	5	3	1
5	2	3	9	8	1	6	4	7
6	1	4	5	3	7	9	2	8
2	4	7	8	1	6	3	5	9
3	5	6	7	9	2	1	8	4
8	9	1	4	5	3	2	7	6
9	7	2	1	4	5	8	6	3
1	3	5	6	7	8	4	9	2
4	6	8	3	2	9	7	1	5

Puzzle # 29

4	3	9	2	7	5	6	1	8
2	6	7	1	8	3	4	9	5
8	1	5	6	4	9	7	2	3
3	5	2	8	6	4	1	7	9
7	4	8	9	5	1	3	6	2
1	9	6	7	3	2	5	8	4
5	8	1	4	2	7	9	3	6
6	7	4	3	9	8	2	5	1
9	2	3	5	1	6	8	4	7

Puzzle # 30

3	4	6	8	1	9	7	5	2
7	1	5	2	4	3	6	9	8
8	9	2	5	7	6	1	3	4
9	2	8	7	6	1	3	4	5
6	3	4	9	8	5	2	7	1
5	7	1	4	3	2	9	8	6
4	6	3	1	5	7	8	2	9
2	8	7	6	9	4	5	1	3
1	5	9	3	2	8	4	6	7

Puzzle # 31

3	1	7	4	8	5	2	9	6
5	2	8	9	6	7	1	4	3
9	4	6	2	3	1	5	7	8
7	3	9	5	4	2	6	8	1
4	6	1	3	9	8	7	5	2
2	8	5	7	1	6	9	3	4
8	7	3	6	2	9	4	1	5
6	5	4	1	7	3	8	2	9
1	9	2	8	5	4	3	6	7

Puzzle # 32

6	1	7	8	9	2	5	4	3
2	4	3	6	1	5	7	9	8
8	9	5	3	7	4	2	6	1
1	7	8	9	5	3	4	2	6
9	2	4	1	6	7	8	3	5
5	3	6	2	4	8	9	1	7
4	6	1	5	8	9	3	7	2
7	8	2	4	3	1	6	5	9
3	5	9	7	2	6	1	8	4

Puzzle # 33

1	8	3	2	4	7	9	5	6
4	6	7	9	3	5	8	2	1
2	9	5	6	8	1	3	4	7
7	2	8	4	9	3	1	6	5
6	5	4	1	2	8	7	9	3
9	3	1	7	5	6	2	8	4
8	4	6	3	7	2	5	1	9
5	7	9	8	1	4	6	3	2
3	1	2	5	6	9	4	7	8

Puzzle # 34

6	9	5	2	4	8	1	3	7
8	3	2	5	7	1	9	4	6
1	7	4	3	6	9	5	8	2
3	5	6	9	1	2	8	7	4
4	2	7	6	8	5	3	1	9
9	8	1	7	3	4	2	6	5
2	1	3	4	9	7	6	5	8
5	4	8	1	2	6	7	9	3
7	6	9	8	5	3	4	2	1

Puzzle # 35

3	6	7	2	4	8	5	9	1
5	1	4	6	9	7	8	3	2
9	2	8	5	1	3	4	6	7
4	9	1	3	8	6	2	7	5
2	8	6	1	7	5	9	4	3
7	3	5	4	2	9	1	8	6
8	4	3	7	5	2	6	1	9
1	7	2	9	6	4	3	5	8
6	5	9	8	3	1	7	2	4

Puzzle # 36

8	1	3	7	2	9	5	4	6
2	6	4	1	5	8	3	7	9
5	9	7	3	4	6	2	1	8
9	5	2	4	3	1	6	8	7
3	8	1	6	7	5	4	9	2
4	7	6	8	9	2	1	3	5
6	3	9	2	8	4	7	5	1
7	2	5	9	1	3	8	6	4
1	4	8	5	6	7	9	2	3

Puzzle # 37

6	8	5	4	3	2	7	1	9
7	4	9	8	6	1	5	3	2
1	3	2	5	7	9	8	4	6
2	7	4	1	8	5	6	9	3
3	5	8	9	4	6	2	7	1
9	6	1	3	2	7	4	8	5
5	2	3	7	9	8	1	6	4
8	9	6	2	1	4	3	5	7
4	1	7	6	5	3	9	2	8

Puzzle # 38

9	2	8	4	5	3	1	7	6
3	7	6	1	2	9	8	5	4
5	4	1	6	8	7	9	3	2
4	3	9	2	7	5	6	8	1
8	1	2	3	6	4	7	9	5
6	5	7	8	9	1	4	2	3
1	9	5	7	4	2	3	6	8
7	8	3	5	1	6	2	4	9
2	6	4	9	3	8	5	1	7

Puzzle # 39

2	6	4	1	8	9	5	3	7
3	8	7	5	6	4	1	9	2
5	9	1	2	7	3	8	4	6
8	2	9	6	1	7	3	5	4
7	1	6	3	4	5	9	2	8
4	5	3	9	2	8	6	7	1
6	3	8	4	5	2	7	1	9
9	7	2	8	3	1	4	6	5
1	4	5	7	9	6	2	8	3

Puzzle # 40

4	2	8	9	5	6	1	3	7
5	7	9	1	3	2	8	4	6
1	3	6	8	7	4	2	5	9
2	6	5	7	9	1	4	8	3
7	4	3	6	2	8	5	9	1
8	9	1	5	4	3	7	6	2
9	8	2	4	6	7	3	1	5
6	1	7	3	8	5	9	2	4
3	5	4	2	1	9	6	7	8

Puzzle #1

HARD

			8				5	2
	3				1	9		8
8				5			7	
	6							
							3	
		4				2		
		2			8	7	1	
	8	7	6	4				
		5	2					3

Puzzle #2

HARD

7				6		4		
1								
		5	9		7		1	
				1				
							5	2
3		1			4			
8					5		3	4
			6					5
	9	6	8					

Puzzle #3

HARD

		1						7
2								3
				3		4		
			2					
		5		8				6
	9		3	6		8		4
				9				
	7				4		1	
6	3		8					

Puzzle #4

HARD

								3
	1	2		9	5			7
	7		4	6				
	2	9		5		3		
	8			7			9	5
			6			8		2
			9					
	4		2					8
1		7			6			

Puzzle #5

HARD

2			8			4		
							6	1
	1							
			6				5	
		3		9	7		8	4
	7		2		3			
		8		2	4	3		
					6	9		
	6							

Puzzle #6

HARD

7					4			
4		9		8				
			3	5				6
		1						
			5					2
	4		9		3		1	
				6			3	7
9		8		2			6	
		4						

Puzzle #7

HARD

	9		7		8			
		4					7	
8				6	1			
4				3				
6	2		8				1	
								4
			1		5			2
		9				5	4	
		8	3	2				

Puzzle #8

HARD

			6				9	
		6		3	2			1
1					9			2
	4	3		7				
						5		
	7				5		6	
						4		
7		9		8				
					1	8		6

Puzzle #9

HARD

		7				9	6	
	9			5				
		5	1		7			
			7			6	9	
8	5	4	9					
	7							3
				4			7	
							8	
4		1			3			

Puzzle #10

HARD

		5		1	7	6		
		8		4				
2								
					5		2	8
3			9					
	4					3	7	
7	9					1		
6								
			6			7	4	5

Puzzle #11

HARD

		7				5		
1			8		4			
		6				2	7	3
8	4				9			
	8		3	9		6		4
		1				8		
	3		7		8		2	

Puzzle #12

HARD

6			3			4		
		7	4	5				3
	5				2			
9				3				
		4	9					7
7	1					8		
			2					1
		2				7		
			1	4			8	5

Puzzle #13

HARD

				5			1	8
7			2		6	4		
	3		9					
1							3	
	2		8			1		
	9							
	1				2			7
		4			3	8		
2		7						9

Puzzle #14

HARD

		2			9	6		
	3			5				2
	4		2		7			
	5			4				
1								
		6			1	9		
	2	7	6					8
			8			5		
	9			1				3

Puzzle #15

HARD

					1	4		7
	1							
		9			2			
	7						8	9
			3					1
				5		7	3	
9				1				6
4	6			9				
2			7		4	5		

Puzzle #16

HARD

			7		2	1	8	
	6		5					4
	4							
		7	3			5		9
		6				4		
							1	3
					8		2	
8			1		3	9		7
				9		8		

Puzzle #17

HARD

5		8						3
					2		5	
9	3		1				7	
6			2	1		7		
		7		9		5	3	4
					9		6	
1	9			6	4			
3			8					

Puzzle #18

HARD

			8			6		9
			4	1			3	
		9			3			
7	5				4			8
			3				1	6
		2	9					
		1						4
		7	2					
3	6				5			

Puzzle #19

HARD

1		4		3		8		5
	2			6		1		
7								
8	6		5		3		4	
				9		5		6
		1	7			4	3	
		9			1			
6								

Puzzle #20

HARD

	2	4		5			3	
					2	1		
			7				9	
			2	4				
		8	6					
9	5							3
			5			4		1
				8				
3		7						6

Puzzle #21

HARD

4	7	3		1				
		2			6			9
	1							
				6			7	
				5		3		
			2		4			6
6			4		9			
					7		9	2
				3	5			

Puzzle #22

HARD

			1		6	3		5
	4						9	
2			9			8		6
	9		2					
7				3	1			
		2	6	4				
6								
		5					2	1
						7	8	

Puzzle #23

HARD

6							7	1
	8				1			
				9		6		
4		7	1				8	
8	5		6	2				3
					3	4		
1	3							
		2	4			9		

Puzzle #24

HARD

	8	3			9			4
		9						
	5					8		
	2			4	3			9
							5	3
		7		9	8	4		1
		8	6					
				7				5
3		2						

Puzzle #25

HARD

5			1			2		
	9			8			5	7
					3			
				2		6		
		3	6			1	7	
			4	7				
3		6			2			
	4		5					
1		5						8

Puzzle #26

HARD

	3				8			
	5			1				
		2	6		3	9		
		8		5	2		7	
6				8			9	
	4							1
1			7					
			3			2		
						7		3

Puzzle #27

HARD

	9		7	6			3	
						9		1
		2		5			4	
					1			8
		4				3	7	
	2	6						4
	4			3	6			
				2		1		
	5				8		2	

Puzzle #28

HARD

	6				5		9	
	8		4	1				
								5
3			6			2	4	
5					9			
	4		7					6
						8		
8						9	2	
	5	1		7				

Puzzle #29

HARD

6	7		1		8	3		
							8	
	2			5				6
4	5		8		6			
			3	7				4
	1							
		3					5	
5			9			6		1
	6	9					4	

Puzzle #30

HARD

4							5	
	6	2		4				7
				5	6		3	
2					1			
		9	7					
			8					
7	4					8		9
	8					3		
			3		7			4

Puzzle #31

HARD

6		8						9
	9					1		
			8	4			2	
2			1	6				5
	3	5	9		8			
7					4	9		
		7						
		3			7		6	
9						2	3	

Puzzle #32

HARD

	8						7	
		7		4		2		9
					7		1	3
		3	8					7
	1		6				8	
5		8	9				3	
1						5		
			4	6				1

Puzzle #33

HARD

			9		4			
	5							9
2				3				6
	1	8			6	3		2
	7	6				8		5
		2		7			9	
		1			5			
7	6	4	2					3

Puzzle #34

HARD

1	2							
	7			3			6	
			8			5		
			3			6		
		4			2			1
9	6	5						4
		2	7		5			
	1			6			9	
					1			

Puzzle #35

HARD

				4		5		
8		6						4
			1	5				
9					1	2		
7			5					
6	4							7
	3					1		9
					2	8		
2				7				

Puzzle #36

HARD

	2	4		1	6			
	6				2	8		
	7		5		3			
		2				4	7	1
		5	1					
			2		8		3	9
						1		4
8	4		3			7		

Puzzle #37

HARD

1		5				2		
							1	
								6
	5	3			4	6	9	
8				5				
7				9		4		8
4						8		
		2	6					1
	6	8		1	3			

Puzzle #38

HARD

						9		2
2					8	3		4
3	6							
	7		2	6	5			8
		2			1			
		8						5
	9		1	4				
	1		6				8	
		6		3				

Puzzle #39

HARD

6				3		7	5	
9			6			8		
	4		8					9
				8				4
5		7			3	2		
						5	1	
	3		2					1
							7	
		4		1				

Puzzle #40

HARD

5								
7					1		5	
		6				4	8	
			8			5		
				9	5			
	6		4	3				7
2	7		9					8
		4	1			7		3
	1					6		

Puzzle # 1

4	7	1	8	3	9	6	5	2
5	3	6	7	2	1	9	4	8
8	2	9	4	5	6	3	7	1
2	6	3	1	7	4	8	9	5
7	5	8	9	6	2	1	3	4
9	1	4	3	8	5	2	6	7
3	4	2	5	9	8	7	1	6
1	8	7	6	4	3	5	2	9
6	9	5	2	1	7	4	8	3

Puzzle # 2

7	8	2	5	6	1	4	9	3
1	3	9	4	2	8	5	6	7
6	4	5	9	3	7	2	1	8
2	5	8	7	1	9	3	4	6
9	7	4	3	8	6	1	5	2
3	6	1	2	5	4	8	7	9
8	2	7	1	9	5	6	3	4
4	1	3	6	7	2	9	8	5
5	9	6	8	4	3	7	2	1

Puzzle # 3

3	4	1	9	5	2	6	8	7
2	5	6	4	7	8	1	9	3
9	8	7	1	3	6	4	2	5
8	6	3	2	4	5	9	7	1
4	1	5	7	8	9	2	3	6
7	9	2	3	6	1	8	5	4
1	2	4	5	9	3	7	6	8
5	7	8	6	2	4	3	1	9
6	3	9	8	1	7	5	4	2

Puzzle # 4

6	9	4	7	2	8	1	5	3
8	1	2	3	9	5	6	4	7
5	7	3	4	6	1	2	8	9
7	2	9	8	5	4	3	1	6
3	8	6	1	7	2	4	9	5
4	5	1	6	3	9	8	7	2
2	6	8	9	4	7	5	3	1
9	4	5	2	1	3	7	6	8
1	3	7	5	8	6	9	2	4

Puzzle # 5

2	3	5	8	6	1	4	9	7
7	8	9	4	3	2	5	6	1
4	1	6	9	7	5	8	3	2
9	2	1	6	4	8	7	5	3
6	5	3	1	9	7	2	8	4
8	7	4	2	5	3	6	1	9
1	9	8	5	2	4	3	7	6
5	4	7	3	1	6	9	2	8
3	6	2	7	8	9	1	4	5

Puzzle # 6

7	5	3	6	9	4	2	8	1
4	6	9	1	8	2	7	5	3
8	1	2	3	5	7	4	9	6
5	8	1	2	4	6	3	7	9
3	9	7	5	1	8	6	4	2
2	4	6	9	7	3	5	1	8
1	2	5	4	6	9	8	3	7
9	3	8	7	2	5	1	6	4
6	7	4	8	3	1	9	2	5

Puzzle # 7

3	9	6	7	5	8	4	2	1
1	5	4	2	9	3	6	7	8
8	7	2	4	6	1	9	3	5
4	8	1	9	3	2	7	5	6
6	2	5	8	7	4	3	1	9
9	3	7	5	1	6	2	8	4
7	6	3	1	4	5	8	9	2
2	1	9	6	8	7	5	4	3
5	4	8	3	2	9	1	6	7

Puzzle # 8

2	5	7	6	1	8	3	9	4
9	8	6	4	3	2	7	5	1
1	3	4	7	5	9	6	8	2
5	4	3	9	7	6	2	1	8
6	9	1	8	2	3	5	4	7
8	7	2	1	4	5	9	6	3
3	1	8	5	6	7	4	2	9
7	6	9	2	8	4	1	3	5
4	2	5	3	9	1	8	7	6

Puzzle # 9

1	4	7	3	2	8	9	6	5
2	9	8	6	5	4	1	3	7
6	3	5	1	9	7	2	4	8
3	1	2	7	8	5	6	9	4
8	5	4	9	3	6	7	1	2
9	7	6	4	1	2	8	5	3
5	8	9	2	4	1	3	7	6
7	2	3	5	6	9	4	8	1
4	6	1	8	7	3	5	2	9

Puzzle # 10

4	3	5	2	1	7	6	8	9
9	6	8	5	4	3	2	1	7
2	1	7	8	6	9	5	3	4
1	7	6	4	3	5	9	2	8
3	8	2	9	7	6	4	5	1
5	4	9	1	8	2	3	7	6
7	9	4	3	5	8	1	6	2
6	5	1	7	2	4	8	9	3
8	2	3	6	9	1	7	4	5

Puzzle # 11

3	6	7	9	2	1	5	4	8
4	2	8	6	5	7	3	9	1
1	5	9	8	3	4	7	6	2
9	1	6	4	8	5	2	7	3
8	4	3	2	7	9	1	5	6
5	7	2	1	6	3	4	8	9
7	8	5	3	9	2	6	1	4
2	9	1	5	4	6	8	3	7
6	3	4	7	1	8	9	2	5

Puzzle # 12

6	2	1	3	9	7	4	5	8
8	9	7	4	5	6	1	2	3
4	5	3	8	1	2	9	7	6
9	6	8	7	3	1	5	4	2
2	3	4	9	8	5	6	1	7
7	1	5	6	2	4	8	3	9
5	4	9	2	7	8	3	6	1
1	8	2	5	6	3	7	9	4
3	7	6	1	4	9	2	8	5

Puzzle # 13

6	4	2	3	5	7	9	1	8
7	8	9	2	1	6	4	5	3
5	3	1	9	4	8	2	7	6
1	7	8	5	2	9	6	3	4
3	2	6	8	7	4	1	9	5
4	9	5	6	3	1	7	8	2
8	1	3	4	9	2	5	6	7
9	5	4	7	6	3	8	2	1
2	6	7	1	8	5	3	4	9

Puzzle # 14

7	1	2	4	8	9	6	3	5
9	3	8	1	5	6	4	7	2
6	4	5	2	3	7	8	9	1
2	5	9	7	4	8	3	1	6
1	7	3	9	6	5	2	8	4
4	8	6	3	2	1	9	5	7
5	2	7	6	9	3	1	4	8
3	6	1	8	7	4	5	2	9
8	9	4	5	1	2	7	6	3

Puzzle # 15

6	8	5	9	3	1	4	2	7
7	1	2	4	8	5	9	6	3
3	4	9	6	7	2	8	1	5
5	7	3	1	4	6	2	8	9
8	9	4	3	2	7	6	5	1
1	2	6	8	5	9	7	3	4
9	5	7	2	1	8	3	4	6
4	6	8	5	9	3	1	7	2
2	3	1	7	6	4	5	9	8

Puzzle # 16

5	3	9	7	4	2	1	8	6
2	6	8	5	3	1	7	9	4
7	4	1	6	8	9	3	5	2
1	8	7	3	2	4	5	6	9
3	2	6	9	1	5	4	7	8
4	9	5	8	7	6	2	1	3
9	7	3	4	5	8	6	2	1
8	5	2	1	6	3	9	4	7
6	1	4	2	9	7	8	3	5

Puzzle # 17

5	2	8	9	4	7	6	1	3
7	6	1	3	8	2	4	5	9
9	3	4	1	5	6	8	7	2
6	4	3	2	1	5	7	9	8
2	1	7	6	9	8	5	3	4
8	5	9	4	7	3	1	2	6
4	8	5	7	3	9	2	6	1
1	9	2	5	6	4	3	8	7
3	7	6	8	2	1	9	4	5

Puzzle # 18

4	1	3	8	7	2	6	5	9
6	2	5	4	1	9	8	3	7
8	7	9	5	6	3	4	2	1
7	5	6	1	2	4	3	9	8
9	4	8	3	5	7	2	1	6
1	3	2	9	8	6	7	4	5
2	9	1	6	3	8	5	7	4
5	8	7	2	4	1	9	6	3
3	6	4	7	9	5	1	8	2

Puzzle # 19

1	7	4	9	3	2	8	6	5
9	3	6	1	8	5	7	2	4
5	2	8	4	6	7	1	9	3
7	9	5	6	1	4	3	8	2
8	6	2	5	7	3	9	4	1
4	1	3	2	9	8	5	7	6
2	8	1	7	5	6	4	3	9
3	4	9	8	2	1	6	5	7
6	5	7	3	4	9	2	1	8

Puzzle # 20

1	2	4	9	5	8	6	3	7
5	7	9	3	6	2	1	8	4
6	8	3	7	1	4	5	9	2
7	3	1	2	4	5	9	6	8
2	4	8	6	9	3	7	1	5
9	5	6	8	7	1	2	4	3
8	9	2	5	3	6	4	7	1
4	6	5	1	8	7	3	2	9
3	1	7	4	2	9	8	5	6

Puzzle # 21

4	7	3	9	1	2	6	5	8
5	8	2	3	4	6	7	1	9
9	1	6	5	7	8	2	4	3
1	2	4	8	6	3	9	7	5
8	6	9	7	5	1	3	2	4
7	3	5	2	9	4	1	8	6
6	5	7	4	2	9	8	3	1
3	4	1	6	8	7	5	9	2
2	9	8	1	3	5	4	6	7

Puzzle # 22

9	7	8	1	2	6	3	4	5
1	4	6	3	8	5	2	9	7
2	5	3	9	7	4	8	1	6
8	9	1	2	5	7	4	6	3
7	6	4	8	3	1	9	5	2
5	3	2	6	4	9	1	7	8
6	2	7	4	1	8	5	3	9
4	8	5	7	9	3	6	2	1
3	1	9	5	6	2	7	8	4

Puzzle # 23

6	9	3	5	4	2	8	7	1
2	8	5	7	6	1	3	9	4
7	4	1	3	9	8	6	5	2
4	2	7	1	3	9	5	8	6
8	5	9	6	2	7	1	4	3
3	1	6	8	5	4	7	2	9
9	6	8	2	7	3	4	1	5
1	3	4	9	8	5	2	6	7
5	7	2	4	1	6	9	3	8

Puzzle # 24

2	8	3	1	6	9	5	7	4
7	6	9	4	8	5	3	1	2
4	5	1	3	2	7	8	9	6
1	2	5	7	4	3	6	8	9
8	9	4	2	1	6	7	5	3
6	3	7	5	9	8	4	2	1
5	1	8	6	3	2	9	4	7
9	4	6	8	7	1	2	3	5
3	7	2	9	5	4	1	6	8

Puzzle # 25

5	3	7	1	6	9	2	8	4
6	9	1	2	8	4	3	5	7
2	8	4	7	5	3	9	1	6
7	1	8	3	2	5	6	4	9
4	5	3	6	9	8	1	7	2
9	6	2	4	7	1	8	3	5
3	7	6	8	4	2	5	9	1
8	4	9	5	1	6	7	2	3
1	2	5	9	3	7	4	6	8

Puzzle # 26

9	3	6	5	7	8	1	4	2
4	5	7	2	1	9	6	3	8
8	1	2	6	4	3	9	5	7
3	9	8	1	5	2	4	7	6
6	2	1	4	8	7	3	9	5
7	4	5	9	3	6	8	2	1
1	8	3	7	2	4	5	6	9
5	7	9	3	6	1	2	8	4
2	6	4	8	9	5	7	1	3

Puzzle # 27

1	9	8	7	6	4	2	3	5
4	7	5	3	8	2	9	6	1
3	6	2	1	5	9	8	4	7
5	3	7	2	4	1	6	9	8
8	1	4	6	9	5	3	7	2
9	2	6	8	7	3	5	1	4
2	4	1	5	3	6	7	8	9
6	8	9	4	2	7	1	5	3
7	5	3	9	1	8	4	2	6

Puzzle # 28

7	6	2	8	3	5	1	9	4
9	8	5	4	1	6	3	7	2
4	1	3	2	9	7	6	8	5
3	7	8	6	5	1	2	4	9
5	2	6	3	4	9	7	1	8
1	4	9	7	8	2	5	3	6
6	9	4	1	2	3	8	5	7
8	3	7	5	6	4	9	2	1
2	5	1	9	7	8	4	6	3

Puzzle # 29

6	7	4	1	9	8	3	2	5
9	3	5	4	6	2	1	8	7
8	2	1	7	5	3	4	9	6
4	5	7	8	2	6	9	1	3
2	9	8	3	7	1	5	6	4
3	1	6	5	4	9	8	7	2
7	8	3	6	1	4	2	5	9
5	4	2	9	8	7	6	3	1
1	6	9	2	3	5	7	4	8

Puzzle # 30

4	3	1	9	7	8	2	5	6
5	6	2	1	4	3	9	8	7
8	9	7	2	5	6	4	3	1
2	5	8	4	6	1	7	9	3
3	1	9	7	2	5	6	4	8
6	7	4	8	3	9	1	2	5
7	4	3	5	1	2	8	6	9
1	8	5	6	9	4	3	7	2
9	2	6	3	8	7	5	1	4

Puzzle # 31

6	4	8	3	1	2	7	5	9
3	9	2	7	5	6	1	4	8
5	7	1	8	4	9	3	2	6
2	8	9	1	6	3	4	7	5
4	3	5	9	7	8	6	1	2
7	1	6	5	2	4	9	8	3
1	6	7	2	3	5	8	9	4
8	2	3	4	9	7	5	6	1
9	5	4	6	8	1	2	3	7

Puzzle # 32

2	9	5	3	7	6	1	4	8
4	8	1	2	5	9	3	7	6
6	3	7	1	4	8	2	5	9
8	2	6	5	9	7	4	1	3
9	5	3	8	1	4	6	2	7
7	1	4	6	3	2	9	8	5
5	6	8	9	2	1	7	3	4
1	4	9	7	8	3	5	6	2
3	7	2	4	6	5	8	9	1

Puzzle # 33

6	8	7	9	5	4	2	3	1
1	5	3	8	6	2	7	4	9
2	4	9	1	3	7	5	8	6
3	2	5	7	1	8	9	6	4
4	1	8	5	9	6	3	7	2
9	7	6	4	2	3	8	1	5
5	3	2	6	7	1	4	9	8
8	9	1	3	4	5	6	2	7
7	6	4	2	8	9	1	5	3

Puzzle # 34

1	2	3	5	9	6	7	4	8
5	7	8	2	3	4	1	6	9
6	4	9	8	1	7	5	3	2
2	8	1	3	4	9	6	5	7
7	3	4	6	5	2	9	8	1
9	6	5	1	7	8	3	2	4
3	9	2	7	8	5	4	1	6
8	1	7	4	6	3	2	9	5
4	5	6	9	2	1	8	7	3

Puzzle # 35

1	9	2	6	4	7	5	3	8
8	5	6	2	9	3	7	1	4
3	7	4	1	5	8	6	9	2
9	8	5	7	3	1	2	4	6
7	2	3	5	6	4	9	8	1
6	4	1	8	2	9	3	5	7
5	3	7	4	8	6	1	2	9
4	6	9	3	1	2	8	7	5
2	1	8	9	7	5	4	6	3

Puzzle # 36

5	2	4	8	1	6	3	9	7
9	6	3	4	7	2	8	1	5
1	7	8	5	9	3	2	4	6
3	9	2	6	8	5	4	7	1
6	1	7	9	3	4	5	2	8
4	8	5	1	2	7	9	6	3
7	5	1	2	4	8	6	3	9
2	3	6	7	5	9	1	8	4
8	4	9	3	6	1	7	5	2

Puzzle # 37

1	3	5	8	6	9	2	7	4
6	8	4	2	3	7	9	1	5
9	2	7	5	4	1	3	8	6
2	5	3	1	8	4	6	9	7
8	4	9	7	5	6	1	3	2
7	1	6	3	9	2	4	5	8
4	7	1	9	2	5	8	6	3
3	9	2	6	7	8	5	4	1
5	6	8	4	1	3	7	2	9

Puzzle # 38

1	8	4	3	7	6	9	5	2
2	5	7	9	1	8	3	6	4
3	6	9	5	2	4	8	1	7
9	7	1	2	6	5	4	3	8
5	3	2	4	8	1	7	9	6
6	4	8	7	9	3	1	2	5
8	9	5	1	4	2	6	7	3
4	1	3	6	5	7	2	8	9
7	2	6	8	3	9	5	4	1

Puzzle # 39

6	1	8	4	3	9	7	5	2
9	7	5	6	2	1	8	4	3
3	4	2	8	7	5	1	6	9
1	2	9	5	8	7	6	3	4
5	6	7	1	4	3	2	9	8
4	8	3	9	6	2	5	1	7
7	3	6	2	5	4	9	8	1
2	5	1	3	9	8	4	7	6
8	9	4	7	1	6	3	2	5

Puzzle # 40

5	9	1	2	8	4	3	7	6
7	4	8	3	6	1	9	5	2
3	2	6	5	7	9	4	8	1
4	3	2	8	1	7	5	6	9
1	8	7	6	9	5	2	3	4
9	6	5	4	3	2	8	1	7
2	7	3	9	5	6	1	4	8
6	5	4	1	2	8	7	9	3
8	1	9	7	4	3	6	2	5

CPSIA information can be obtained
at www.ICGtesting.com
Printed in the USA
BVHW011111111019
560866BV00010B/756/P